图书在版编目（CIP）数据

历代传世家训：简体咏诵本．第四辑 / 养正书坊编．-- 北京：中国劳动社会保障出版社，2020
ISBN 978-7-5167-4720-9

Ⅰ．①历… Ⅱ．①养… Ⅲ．①家庭道德－中国 Ⅳ．① B823.1

中国版本图书馆 CIP 数据核字（2020）第 209376 号

责任编辑 / 高　尚
责任校对 / 李春雷
责任设计 / 王利民

中国劳动社会保障出版社出版发行
（北京市惠新东街 1 号　邮政编码：100029）
*
北京华联印刷有限公司印刷装订　　新华书店经销
880 毫米 × 1230 毫米　16 开本　11.25 印张　90 千字
2020 年 11 月第 1 版　　2020 年 11 月第 1 次印刷
定价：64.00 元

读者服务部电话：（010）64929211/84209101/64921644
营销中心电话：（010）64962347
出版社网址：http://www.class.com.cn

历代传世家训

（简体咏诵本）

第四辑

中国劳动社会保障出版社

代序书写　　杨士秋
文字书写　　杜旭平
书法字体　　行　楷

代序

所謂治國必先齊其家者，其家不可教而能教人者，無之。故君子不出家而成教於國。孝者，所以事君也；弟者，所以事長也；慈者，所以使衆也。康誥曰：如保赤子。心誠求之，雖不中，不遠矣。

此序为《大学·传九章》。《大学》是一篇论述修身、齐家、治国、平天下的儒家经典，相传为曾子所作，和《中庸》《论语》《孟子》并称「四书」。

代序

所谓治国必先齐其家者，其家不可教而能教人者，无之。故君子不出家而成教于国。孝者，所以事君也；弟者，所以事长也；慈者，所以使众也。《康诰》曰：“如保赤子。”心诚求之，虽不中，不远矣，

未有學養子而後嫁者也一家仁一國
興仁一家讓一國興讓一人貪戾一國作
亂其機如此此謂一言僨事一人定國
堯舜帥天下以仁而民從之桀紂帥天
下以暴而民從之其所令反其所好而民
不從是故君子有諸己而後求諸人
無諸己而後非諸人所藏乎身不
恕而能喻諸人者未之有也故治國
在齊其家詩云桃之夭夭其葉蓁蓁

未有学养子而后嫁者也。一家仁，一国兴仁；一家让，一国兴让；一人贪戾，一国作乱；其机如此。此谓一言偾事，一人定国。尧舜帅天下以仁而民从之；桀、纣帅天下以暴而民从之。其所令，反其所好，而民不从。是故，君子有诸己而后求诸人，无诸己而后非诸人。所藏乎身不恕，而能喻诸人者，未之有也。故治国在齐其家。《诗》云："桃之夭夭，其叶蓁蓁。

之子于歸宜其家人宜其家人而後
可以教國人詩云宜兄宜弟宜兄宜弟
而後可以教國人詩云其儀不忒正
是四國其為父子兄弟足法而後民
法之也此謂治國在齊其家

之子于归，宜其家人。”宜其家人，而后可以教国人。《诗》云：“宜兄宜弟。”宜兄宜弟，而后可以教国人。《诗》云：“其仪不忒，正是四国。”其为父子兄弟足法，而后民法之也。此谓治国在齐其家。

（选自《大学 · 传九章》）

出版说明

“天下之本在国，国之本在家，家之本在身。”中国社会的重心在家庭，家庭不仅是人们温情相伴、血脉相连的居所，还是人们修身立业、安身立命的依托。传统社会读书人修身、齐家、治国、平天下的人生追求中，齐家是修身的功业和治国、平天下的基础，成为大多数读书人一生的功课。“齐家”就要有一套家庭生活规则体系，体现一个家庭的道德观念、价值追求和精神气质，这就是一个家庭的家教和家风。

在源远流长的传统文化中，孟母三迁、断织劝学、曾子杀猪教子的家庭教育故事到今天已是老幼皆知、耳熟能详。许多传承千古的家训记录了一个个时代社会对家庭生活的规范和要求，是一位位“家长”治家齐家的生命缩影，延续了一个个家庭绵延不绝的文化血脉。

家训作为家教和家风的文字载体，形式多样，包括诗歌、散文、格言、书信等，蕴含着传统文化固有的修齐治平理想、中庸之道、仁义礼智信、忠孝节义廉等优良美德，沉淀着中华民族的教育思想、伦理道德、人生智慧和价值取向，展现着中国家庭的日常生活样式和生活智慧，润泽了一代又一代华夏子孙。

家训呈现一个家庭的精神风貌、道德情操和生活行为，最终落脚在家庭成员的人格养成。在家庭教育功能转移到社会的今天，家训仍不失为人格修养的教科书。父慈子孝、兄友弟恭、夫义妻顺、尊老爱幼、勤俭持家等家庭美德需要每个家庭秉持坚守，良好的家教和家风有助于家庭成员培育人格、陶冶情操、提升修养，这对于醇化社会风气、提升国人素质、传承民族文化至关重要，正所谓“斯文之传，莫大乎是矣”。

本套书共四册，遴选历代名人家训，年代上至春秋、下迄清末，内容涵盖修身、劝学、持家、处事、治家、为政等，文体包括散文、格言和书信等，邀请当代书法家用隶书、楷书、行楷三种字体书写，在内容选取、资料整理、呈现形式上力求有所创新和突破，体现出编者对传统家训的一份温情和敬意，是优秀的传统文化读本。

本套书选自历代典籍，做了节选和核校，依据《辞海》相关内容编辑了作者生平简介。由于编者能力的局限，书中尚有不足之处，敬请专家读者批评指正。

二〇二〇年九月

目录

清

曾國藩家訓

看書為急

國藩跪稟父母親大人萬福金安男身體平安孫兒女皆好初十日順天鄉試發榜湖南中三人長沙周荇農中南元率五之歸本擬附家心齋處因率五不

曾国藩（一八一一—一八七二年），初名子城，字伯涵，号涤生，湘乡（今属湖南）人。道光十八年（一八三八年）赐同进士出身。入翰林院，曾任内阁学士、礼部侍郎、署兵部左侍郎。官至两江总督、直隶总督、武英殿大学士，著有《曾文正公全集》。

曾国藩家训

看书为急

国藩跪禀父母亲大人万福金安。男身体平安，孙儿女皆好。初十日顺天乡试发榜，湖南中三人，长沙周荇农中南元。率五之归，本拟附家心斋处，因率五不

願坐車故附陳岱雲々弟處同坐糧船昨岱雲自天津歸云船不甚好男頗不放心幸船上人多應可無慮諸弟考試後盡肄業小羅巷庵不如勤惰若何此時惟季弟較小三弟俱年過二十總以看書為主我邑惟彭薄墅先生看書略多自後無一人講究者大抵為考試文章所讀殊不知看書與考試全不相礙彼不看書者亦仍不利考如故也我家

愿坐车，故附陈岱云之弟处，同坐粮船。昨岱云自天津归云“船不甚好”，男颇不放心，幸船上人多，应可无虑。

诸弟考试后，尽肄业小罗巷庵，不知勤惰若何？此时惟季弟较小，三弟俱年过二十，总以看书为主。我邑惟彭薄墅先生看书略多，自后无一人讲究者，大抵为考试文章所误。殊不知看书与考试全不相碍，彼不看书者，亦仍不利考如故也。我家

諸弟此時無論考試之利與不利無論文章之工與不工總以看書為急不然則年歲日長科名無成學問亦無一字可靠將來求為塾師而不可得或經或史或詩集文集每日總要看二十頁男今年以來無日不看書雖萬事叢忙亦不廢正業聞九弟意欲與劉霞仙同伴讀書霞仙近來見道甚有所得九弟若去應有進益望大人斟酌行之男不敢自

诸弟，此时无论考试之利与不利，无论文章之工与不工，总以看书为急。不然，则年岁日长，科名无成，学问亦无一字可靠，将来求为塾师而不可得。或经或史，或诗集文集，每日总要看二十页。

男今年以来，无日不看书，虽万事丛忙，亦不废正业。闻九弟意欲与刘霞仙同伴读书，霞仙近来见道甚有所得，九弟若去，应有进益，望大人斟酌行之，男不敢自主此事在九弟自為定計若愧奮直前有破釜沉舟之志則遠遊不負若徒悠忽因循則近處盡可度活何必遠行百里外哉求大人察九弟之志而定計焉餘容續陳男國藩謹稟

勤儉謹信

此後惟於勤儉謹信四字更加工夫勤如天地之陽氣凡主身居家做官治軍皆賴

主。此事在九弟自为定计，若愧奋直前，有破釜沉舟之志，则远游不负。若徒悠忽因循，则近处尽可度活，何必远行百里外哉？求大人察九弟之志而定计焉，余容续陈。男国藩谨禀。

勤俭谨信

此后惟于“勤俭谨信”四字，更加工夫。勤如天地之阳气，凡立身居家，做官治军，皆赖

陽氣鼓蕩勤則興惰則衰頹儉者可
以正風氣可以惜後福謹即謙恭又謙則
不遺人忌恭則不受人侮信則誠實又
一言不欺一事不假行之既久人皆信之鬼
神亦欽之

載福之道

天地間惟謙謹是載福之道驕則滿滿
則傾矣凡動口運筆厭人之俗嫌人之鄙

阳气鼓荡。勤则兴旺，惰则衰颓。俭者可以正风气，可以惜后福。谨即谦恭也，谦则不遭人忌，恭则不受人侮。信则诚实也，一言不欺，一事不假，行之既久，人皆信之，鬼神亦钦之。

（《复彭毓麟》）

载福之道

天地间惟谦谨是载福之道，骄则满，满则倾矣。凡动口运笔，厌人之俗，嫌人之鄙，議人之短發人之覆皆驕也無論所指未必果當即使一一切當已為大道所不許吾家子弟滿腔驕傲之氣開口便道人短長笑人鄙陋均非好氣象賢弟欲戒子侄之驕先須將自己好議人短好發人覆之習氣痛改一番然後令後輩事事警改欲去驕字總以不輕非笑人為第一義欲去惰字總以不晏起為第一義

议人之短，发人之覆，皆骄也。无论所指未必果当，即使一一切当，已为天道所不许。吾家子弟满腔骄傲之气，开口便道人短长，笑人鄙陋，均非好气象。贤弟欲戒子侄之骄，先须将自己好议人短、好发人覆之习气痛改一番，然后令后辈事事警改。欲去骄字，总以不轻非笑人为第一义；欲去惰字，总以不晏起为第一义。

（《致澄弟》）

難禁風浪終無大用
接弟十二夜信知連日辛苦異常猛攻
數日並未收隊深爲懸念弟向未督攻
好往來於炮子如雨之中此次想無二
致又少泉前奏至湖州一看仍回蘇州
此次十六啟行不如徑來金陵乎抑先
至湖州乎難禁風浪四字璧還甚好甚
慰古來豪傑皆以此四字爲大忌吾家祖
父教人亦以懦弱無剛四字爲大恥故男

难禁风浪　终无大用

接弟十二夜信，知连日辛苦异常，猛攻数日，并未收队，深为惦念。弟向来督攻，好往来于炮子如雨之中，此次想无二致也。少泉前奏至湖州一看，仍回苏州。此次十六启行，不知径来金陵乎，抑先至湖州乎？“难禁风浪”四字璧还，甚好甚慰。古来豪杰皆以此四字为大忌。吾家祖父教人，亦以“懦弱无刚”四字为大耻。故男

兒自立必須有倔強之氣，惟數萬人困於堅城之下，最易暗銷銳氣，弟能養數萬人之剛氣而久不銷損，此是過人之處，更宜從此加功。

子彈日內裝就，明日開行，不知果趕得上否。余啟行之期，仍候第一確信也。順問近好

儿自立，必须有倔强之气。惟数万人困于坚城之下，最易暗销锐气。弟能养数万人之刚气而久不销损，此是过人之处，更宜从此加功。

子弹日内装就，明日开行，不知果赶得上否？余启行之期，仍候弟一确信也。

顺问近好。

（《致沅弟》）

學以致用善始善終

十九日曾六來營接爾初七日第五號家信並詩一首具悉次日入闈考具皆齊矣此時計已出闈還家

余生平有三恥學問各途皆略涉其涯涘獨天文算學毫無所知雖恒星五緯亦不識認一恥也每作一事治一業輒有始無終二恥也少時作字不能臨摹一家之體遂致屢變而無所成遲鈍而不適於

学以致用　善始善终

十九日曾六来营，接尔初七日第五号家信，并诗一首，具悉。次日入闱，考具皆齐矣，此时计已出闱还家。

余生平有三耻：学问各途，皆略涉其涯涘，独天文算学，毫无所知，虽恒星五纬，亦不识认，一耻也；每作一事，治一业，辄有始无终，二耻也；少时作字，不能临摹一家之体，遂致屡变而无所成，迟钝而不适于用近歲在軍因作字太鈍廢闕殊多三恥也爾若為克家之子當思雪此三恥推步算學縱難通曉恆星五緯觀認尚易家中言天文之書有十七史中各天文志及五禮通考中所輯觀象授時一種每夜認明恆星二三座不過數月可畢識矣凡作一事無論大小難易皆宜有始有終作字時先求圓勻次求敏捷若一日能作楷書一萬少或七八千愈多

用，近岁在军，因作字太钝，废阁殊多，三耻也。尔若为克家之子，当思雪此三耻。推步算学，纵难通晓，恒星五纬，观认尚易。家中言天文之书，有《十七史》中各天文志，及《五礼通考》中所辑《观象授时》一种。每夜认明恒星二三座，不过数月，可毕识矣。凡作一事，无论大小难易，皆宜有始有终。作字时，先求圆匀，次求敏捷。若一日能作楷书一万，少或七八千，愈多愈熟，則手腕毫不費力。將來以之為學，則手抄群書；從之從政，則案無留牘。無窮受用，皆從寫字之匀而且捷生出。三者皆足彌吾之缺憾矣。

今年初次下場，或中或不中，無甚關係。榜後即當看詩經注疏。以後窮經讀史，二者迭進。國朝大儒，如顧、閻、江、戴、段、王數先生之書，不可不熟讀而深思之。光陰難得，一刻千金！以後寫安稟來營，不妨

愈熟，则手腕毫不费力。将来以之为学，则手抄群书；以之从政，则案无留牍。无穷受用，皆从写字之匀而且捷生出。三者皆足弥吾之缺憾矣。

今年初次下场，或中或不中，无甚关系。榜后即当看《诗经》注疏。以后穷经读史，二者迭进。国朝大儒， 如顾、阎、江、戴、段、王数先生之书，不可不熟读而深思之。光阴难得，一刻千金。以后写安禀来营，不妨

將胸中所見簡編所得馳騁議論俾余
得以考察爾之進步不宜太寥寥此諭咸
豐八年八月二十日
稍顧體面不可疏忽

字諭紀澤　二十日接家信係爾與澄叔
五月初二日所發　廿二日又接澄侯衡州
一信具悉五宅平安三女嫁事已畢
爾信極以袁婿為慮余亦不料其遽爾

将胸中所见，简编所得，驰骋议论，俾余得以考察尔之进步，不宜太寥寥。此谕。咸丰八年八月二十日。

（《字谕纪泽》）

稍顾体面　不可疏忽

字谕纪泽：二十日接家信，系尔与澄叔五月初二日所发，廿二日又接澄侯衡州一信，具悉。五宅平安，三女嫁事已毕。尔信极以袁婿为虑，余亦不料其遽尔學壞至此余即日當作信教之爾等在家卻不宜過露痕跡人所以稍顧體面者冀人之敬重也若人之傲慢鄙棄業已露出則索性蕩然無恥擯棄不顧甘與正人為仇而以後不可救藥矣我家內外大小于袁婿處禮貌均不可疏忽若久不悛改將來或接至皖營延師教之亦可大約世家子弟錢不可多衣不可多事雖至小所關頗大

学坏至此，余即日当作信教之。尔等在家，却不宜过露痕迹。人所以稍顾体面者，冀人之敬重也。若人之傲慢鄙弃，业已露出，则索性荡然无耻，摈弃不顾，甘与正人为仇，而以后不可救药矣。我家内外大小，于袁婿处礼貌均不可疏忽，若久不悛改，将来或接至皖营，延师教之亦可。大约世家子弟，钱不可多，衣不可多，事虽至小，所关颇大。

此間各路軍事平安多將軍赴援陝西沅季在金陵孤軍無助不無可慮湖州于初三失守鮑攻寧國恐難遽克安徽亢旱頃聞三日大雨人心始安穀即在長沙採買以後澄叔不必掛心此次不另寄澄信爾稟告之此囑同治元年五月廿四日

此间各路军事平安。多将军赴援陕西，沅、季在金陵孤军无助，不无可虑。湖州于初三失守。鲍攻宁国，恐难遽克。安徽亢旱，顷间三日大雨，人心始安。谷即在长沙采买，以后澄叔不必挂心。此次不另寄澄信，尔禀告之，此嘱。

同治元年五月廿四日。

（《曾文正公家书》）

左宗棠家训

左宗棠（一八一二—一八八五年），字季高，一字朴存，号湘上农人，湘阴（今属湖南）人，晚清重臣。道光举人，曾任浙江巡抚、闽浙总督、陕甘总督，后官至东阁大学士、军机大臣。一生经历了洋务运动、收复新疆维护中国统一等重要历史事件。

致孝威孝宽

孝威孝宽知之我於廿八日開船是夜泊三汊磯廿九日泊汀陰縣城外卅日即過湖抵岳州南風甚正舟行順速可毋念又我此次北行非其素志爾等雖小

左宗棠家训

致孝威、孝宽

孝威、孝宽知之：我于廿八日开船，是夜泊三汊矶，廿九日泊汀阴县城外，卅日即过湖抵岳州。南风甚正，舟行顺速，可毋念也。我此次北行，非其素志。尔等虽小，

當亦略知一二世局如何家事如何均不
必為爾等言之惟刻難忘者爾等近年
讀書無甚進境氣質毫未變化恐日
復一日將求為尋常子弟不可得空負
我一片期望之心耳夜間思反輒不成眠
今復為爾等言之爾等能領受與否則
我不能強之然固不能已於言也
讀書到目到口到心到爾讀書不看清
字畫偏旁不辨明句讀不記清頭尾是目

当亦略知一二。世局如何，家事如何，均不必为尔等言之。惟刻难忘者，尔等近年读书无甚进境，气质毫未变化，恐日复一日，将求为寻常子弟不可得，空负我一片期望之心耳。夜间思及，辄不成眠。今复为尔等言之，尔等能领受与否，则我不能强之，然固不能已于言也。

读书到目到、口到、心到，尔读书不看清字画偏旁，不辨明句读，不记清头尾，是目不到以喉舌唇牙齒五音並不清晰伶俐朦朧含糊聽不明白或多幾字或少幾字只圖混過就是口不到以經傳精義奧旨初學固不能通至於大略粗解原易明白稍肯用心體會一字求一字下落一句求一句道理一事求一事原委虛字審其神氣實字測其義理自然漸有所悟一時思索不得即請先生解說一時尚未融釋即將上下文或別章別部義理相

不到也。喉、舌、唇、牙、齿五音并不清晰伶俐，朦胧含糊，听不明白，或多几字，或少几字，只图混过，就是口不到也。经传精义奥旨，初学固不能通，至于大略粗解，原易明白，稍肯用心体会，一字求一字下落，一句求一句道理，一事求一事原委；虚字审其神气，实字测其义理，自然渐有所悟。一时思索不得，即请先生解说，一时尚未融释，即将上下文或别章别部义理相

近者反復推尋務期了然於心了然於
口始可放手總要將此心運在字裡行間
時復思繹乃為心到
今爾讀書總是混過日子身在案前耳
目不知用到何處心中胡思亂想全無
收斂歸著之時悠悠忽忽日復一日好似
讀書是答應人家功夫是欺哄人家掩飾
人家耳目的勾當昨日所不知不能者今
日仍是不知不能去年所不知不能者今

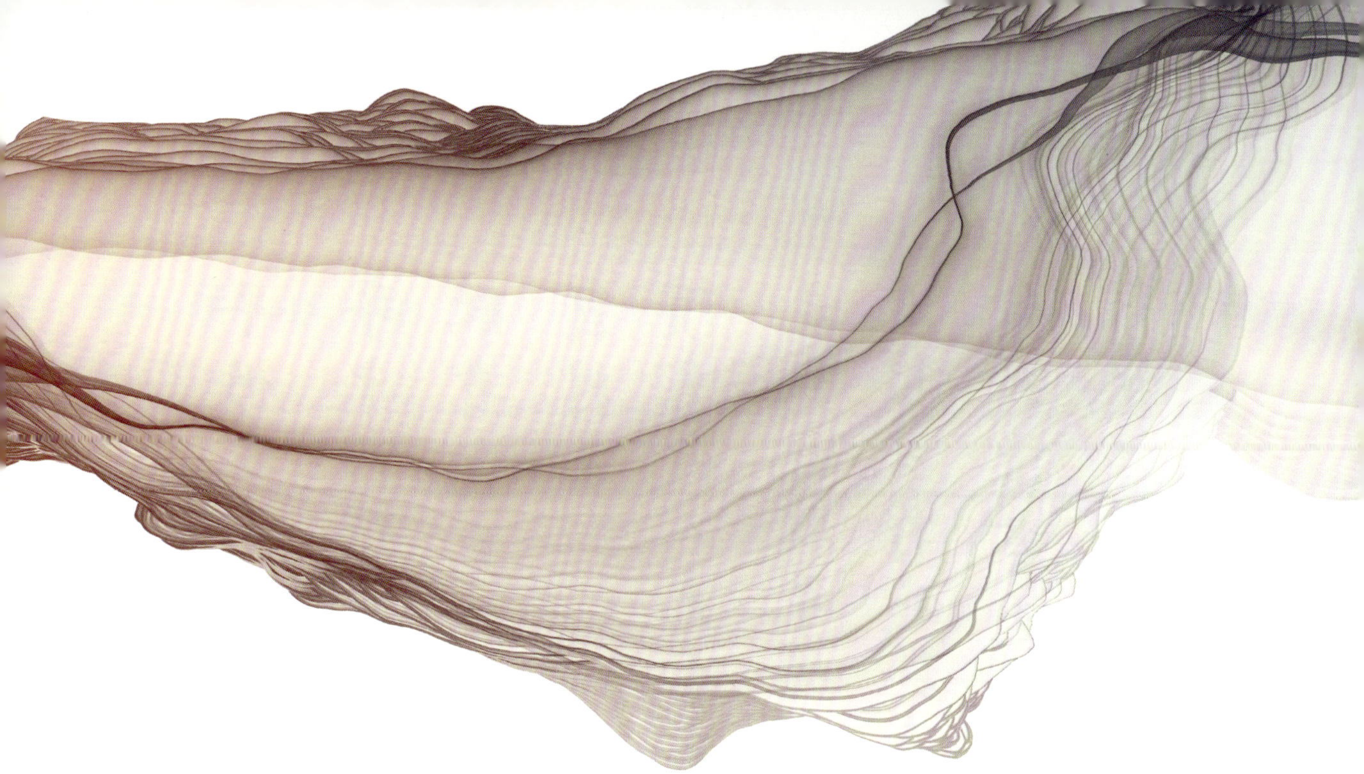

近者反复推寻，务期了然于心，了然于口，始可放手。总要将此心运在字里行间，时复思绎，乃为心到。

令尔读书总是混过日子，身在案前耳目不知用到何处。心中胡思乱想，全无收敛归着之时，悠悠忽忽，日复一日，好似读书是答应人家功夫，是欺哄人家、掩饰人家耳目的勾当。昨日所不知不能者，今日仍是不知不能，去年所不知不能者，今

年仍是不知不能孝感今年十五孝寬今年十四轉眼就長大成人矣從前所知所能者究竟能比鄉村子弟之佳者否誠自忖之

讀書做人先要立志想古來聖賢豪傑是我這般年紀時是何氣象是何學問是何才幹我現在那一件可以比他想父母命我讀書延師訓課是何志願是何意思我那一件可以對父母看同時一輩人父

年仍是不知不能。孝威今年十五，孝宽今年十四，转眼就长大成人矣。从前所知所能者，究竟能比乡村子弟之佳者否？诚自忖之。

读书做人，先要立志。想古来圣贤豪杰是我这般年纪时，是何气象？是何学问？是何才干？我现在那一件可以比他？想父母命我读书，延师训课，是何志愿？是何意思？我那一件可以对父母？看同时一辈人，父母常背後誇讚者是何好樣斥詈者是何壞樣好樣要學壞樣斷不可學心中要想個明白立定主意念念要學好事事要學好自己壞樣一概猛省猛改斷不可少有回護不可因循苟且務期與古時聖賢豪傑少小時志氣一般方可慰父母之心免被他人恥笑志患不立尤患不堅偶然聽一段好話聽一件好事亦知歆動羨慕當時只說我要與他一樣不過幾日幾

母常背后夸赞者，是何好样？斥詈者，是何坏样？好样要学，坏样断不可学。心中要想个明白，立定主意，念念要学好，事事要学好。自己坏样一概猛省、猛改，断不可少有回护，不可因循苟且。务期与古时圣贤豪杰少小时志气一般，方可慰父母之心，免被他人耻笑。志患不立，尤患不坚。偶然听一段好话，听一件好事， 亦知歆动羡慕，当时也说我要与他一样。不过几日几

時此念就不知如何銷歇去了此是用志不堅還由不能立志之故如果一心向上有何事業不能做成

陶桓公有云大禹惜寸陰吾輩當惜分陰古人用心之勤如此韓文公云業精于勤而荒于嬉凡事皆然不僅讀書而讀書更要勤苦何必百工技藝醫學農學均是一件事道理尚易通曉至吾儒讀書天地民物莫非己任宇宙古今事理

时，此念就不知如何销歇去了。此是尔志不坚，还由不能立志之故。如果一心向上，有何事业不能做成?

陶桓公有云：“大禹惜寸阴，吾辈当惜分阴。”古人用心之勤如此。韩文公云：“业精于勤，而荒于嬉。”凡事皆然，不仅读书，而读书更要勤苦。何也?百工技艺，医学、农学，均是一件事，道理尚易通晓；至吾儒读书，天地民物莫非己任，宇宙古今事理

均須融澈於心然後施為有本人立讀
書之日最為難得爾等有成與否就在
此數年上見分曉若仍如從前悠忽過
日再數年依然故我還能冒讀書名色
充讀書人否思之思之
孝威氣質輕浮心思不能沉下年逾成
童而童心未化視聽言動無非一種輕
揚浮躁之氣屢經諭責毫不知改孝寬
氣質昏惰外蠢內傲又貪嬉戲毫無一

均须融澈于心，然后施为有本。人生读书之日最为难得。尔等有成与否，就在此数年上见分晓。若仍如从前悠忽过日，再数年依然故我，还能冒读书名色，充读书人否？思之，思之！

孝威气质轻浮，心思不能沉下。年逾成童而童心未化，视听言动无非一种轻扬浮躁之气。屡经谕责，毫不知改。孝宽气质昏惰，外蠢内傲，又贪嬉戏，毫无一

點好處可取開卷便昏〻欲睡全不提醒振作一至偷閒玩耍便覺分外精神年已十四而詩文不知何物字畫又醜劣不堪見人好處不知自愧真不知將來作何等人物我在家時常訓督未見悔改我今出門想起爾等頑鈍不成材料光景心中片刻不能放下爾等如有人心想爾父此段苦心亦知自愧自恨求痛改前非以慰我否

点好处可取。开卷便昏昏欲睡，全不提醒振作。一至偷闲玩耍，便觉分外精神。年已十四而诗文不知何物，字画又丑劣不堪。见人好处，不知自愧，真不知将来作何等人物！我在家时常训督，未见悔改。我今出门，想起尔等顽钝不成材料光景，心中片刻不能放下。尔等如有人心，想尔父此段苦心，亦知自愧自恨，求痛改前非以慰我否？

親朋中子弟佳者頗少，我不在家，爾等在塾讀書，不必應酬交接，外受傅訓，入奉母儀，可以讀書用功，最要專一無間斷。今年從我北行之故，親朋子侄來家送我，先生又必送考，耽誤功課，聞二月初三四始能上館，所謂一年之計在於春者，又去月餘矣。若夏秋有科考，則忙忙碌碌，又過一年，如何是好？今特諭爾：自二月初一日起，將每日功課按月各寫一小本寄京

亲朋中子弟佳者颇少，我不在家，尔等在塾读书，不必应酬交接。外受傅训，入奉母仪可也。读书用功，最要专一无间断。今年以我北行之故，亲朋子侄来家送我，先生又以送考耽误功课，闻二月初三、四始能上馆。所谓一年之计在于春者，又去月余矣！若夏秋有科考，则忙忙碌碌又过一年，如何是好？今特谕尔：自二月初一日起，将每日功课，按月各写一小本寄京

一次便我查閱如先生是日未在館亦
即注明使我知之屋前街道屋後菜
園不准擅出行走如奉母命出外亦
須速出速歸出必告返必面斷不可任
意往來同學之友如果誠實發憤無妄
言妄動固宜為同類倘或不然則同齋
割席勿與親昵為要家中書籍勿輕易
借人恐有損失如必須借看者每借出
則粘一條於書架注明某日某人借去
某書以便隨時取回庚申正月三十日

一次，便我查阅。如先生是日未在馆，亦即注明，使我知之。屋前街道，屋后菜园，不准擅出行走；如奉母命出外，亦须速出速归。“出必告，返必面”，断不可任意往来。同学之友如果诚实发愤，无妄言妄动，固宜为同类。倘或不然，则同斋割席，勿与亲昵为要。家中书籍，勿轻易借人，恐有损失。如必须借看者，每借出，则粘一条于书架，注明某日某人借去某书，以便随时取回。庚申正月三十日。

虛心攻讀

小時志趣要遠大高談闊論固自不妨
但須時時返躬自問我口邊是如此說話
胸中究有這般道理否我說人家做得
不是我自己做事時又何如即如看人
家好文章亦要仔細去尋他思路摩他
筆路仿他腔調看時就要著想要是我

虚心攻读

小时志趣要远大，高谈阔论固自不妨，但须时时返躬自问：我口边是如此说话，胸中究有这般道理否？我说人家做得不是，我自己做事时又何如？即如看人家好文章，亦要仔细去寻他思路，摩他笔路，仿他腔调。看时就要着想：要是我

做這篇文字必會是如何他卻不然所以比我還先看通篇次則分起節節看去一字一句都要細心體會方曉得他的好處方學得他的好處亦是不容易的心思能如此用慣則以後遇大小事到手便不至粗浮苟且我看爾喜看書卻不肯用心我小來亦有此病且曾自誇目力之捷究竟未曾仔細了無所得爾當戒之

做这篇文字必会是如何，他却不然，所以比我强。先看通篇，次则分起；节节看去，一字一句都要细心体会，方晓得他的好处，方学得他的好处，亦是不容易的。心思能如此用惯，则以后遇大小事到手，便不至粗浮苟且，我看尔喜看书，却不肯用心。我小来亦有此病，且曾自夸目力之捷，究竟未曾仔细，了无所得，尔当戒之。

子弟之資分各有不同總是書氣不可
少好讀書之人自有書氣外面一切嗜好
不能誘之世之所貴讀書寒士者少其
用心苦讀書境遇苦寒士可望成材也
若讀書不耐苦則無所用心之人境遇
不耐苦則無所成就之人如朱表兄黎
姊丈即前鑒也爾當遠之
我在軍中作一日是一日作一事是一事
日日檢點總覺得自己多少不是多少

子弟之资分各有不同，总是书气不可少。好读书之人自有书气，外面一切嗜好不能诱之。世之所贵读书寒士者，以其用心苦读书，境遇苦寒士，可望成材也；若读书不耐苦，则无所用心之人；境遇不耐苦，则无所成就之人。如朱表兄、黎姊丈即前鉴也，尔当远之。

我在军中，作一日是一日，作一事是一事，日日检点，总觉得自己多少不是，多少

欠缺方知陸清獻公詩老大始知氣質駁一句真是閱歷後語少年志高言大我最歡喜卻愁心思一放便難收束以後恃才傲物是己非人種種毛病都從此出如學生荒疏之後看人好文章總覺得不如我漸成目高手低之病人家背後訕笑自己反得意以爾當識之

欠缺，方知陆清献公诗“老大始知气质驳”一句，真是阅历后语。少年志高言大，我最欢喜。却愁心思一放，便难收束，以后恃才傲物、是己非人种种毛病都从此出。如学生荒疏之后，看人好文章总觉得不如我，渐成目高手低之病。人家背后讪笑，自己反得意也，尔当识之。

（《左宗棠全集 · 家书》）

張之洞家訓

张之洞（一八三七—一九〇九年），字孝达，号香涛，又号壶公，晚年自号抱冰老人，直隶南皮（今属河北）人。同治二年（一八六三年）进士，授翰林院编修，历任内阁学士、湖广总督、军机大臣等职，官至体仁阁大学士。晚清四大名臣之一。

誡子書

吾兒知悉汝出門去國已半月餘矣為父未嘗一日忘汝父母愛子無微不至其言恨不一日離汝然必令汝出門者蓋欲汝用功上進為後日國家干城之

张之洞家训

诫子书

吾儿知悉：汝出门去国，已半月余矣。为父未尝一日忘汝。父母爱子，无微不至，其言恨不一日离汝，然必令汝出门者，盖欲汝用功上进，为后日国家干城之

器有用之才耳

方今國事擾攘外寇紛來邊境屢失

腹地亦危振興之道第一即在治國治國

之道不一而練兵實為首端汝自幼即好

弄在書房中一遇先生外出即跳擲嬉

笑無所不為今幸科舉早廢否則汝亦

終以一秀才老其身決不能折桂探杏

為金馬玉堂中人物也故學校肇開即

送汝入校當時諸前輩猶多不以然然

器，有用之才耳。

方今国事扰攘，外寇纷来，边境屡失，腹地亦危。振兴之道，第一即在治国。治国之道不一，而练兵实为首端。汝自幼即好弄，在书房中，一遇先生外出，即跳掷嬉笑，无所不为。今幸科举早废，否则汝亦终以一秀才老其身，决不能折桂探杏，为金马玉堂中人物也。故学校肇开，即送汝入校。当时诸前辈犹多不以然，然

余固深知汝之性情知決非科甲中人故排萬難送汝入校果以除體操外絕無寸進

余少年登科自負清流而汝若此真令余憤惋欲死然世事多艱習武亦佳因送汝東渡入日本士官學校肄業不與汝之性情相違汝今既入此應努力上進盡得其奧勿憚勞勿恃貴勇猛剛毅務必養成一軍人資格汝之前途正亦未

余固深知汝之性情，知决非科甲中人，故排万难送汝入校，果也，除体操外，绝无寸进。

余少年登科，自负清流，而汝若此，真令余愤愧欲死。然世事多艰，习武亦佳，因送汝东渡，入日本士官学校肄业，不与汝之性情相违。汝今既入此，应努力上进，尽得其奥。勿惮劳，勿恃贵，勇猛刚毅，务必养成一军人资格。汝之前途，正亦未

有限量。國家正在用武之秋，汝只患不
能自立，勿患人之不己知。志之志之，勿忘勿忘。
抑余又有誡汝者：汝隨余在兩湖，固總
督大人之貴介子也，無人不恭待汝。今則
去國萬里矣，汝平日所挾以傲人者，將
不復可挾。萬一不幸肇禍，反足貽堂上
以憂。汝此後當自視為貧民，為賤卒，苦
身戮力，以從事於所學。不特得學問上之
益，且可藉是磨練身心，即後日得余之庇

有限量，国家正在用武之秋，汝只患不能自立，勿患人之不己知。志之，志之！勿忘，勿忘！

抑余又有诫汝者，汝随余在两湖，固总督大人之贵介子也，无人不恭待汝。今则去国万里矣，汝平日所挟以傲人者，将不复可挟，万一不幸肇祸，反足贻堂上以忧。汝此后当自视为贫民，为贱卒，苦身戮力，以从事于所学。不特得学问上之益，且可藉是磨练身心，即后日得余之庇，

畢業而後得一官一職亦可深知在下者之苦而不致予智自雄余五旬外之人也服官一品名滿天下然猶兢兢也常自恐懼不敢放恣

汝隨余久當必親炙之勿自以為貴介子弟而漫不經心此則非余所望於爾也汝其慎之寒暖更宜自己留意尤戒有狹邪賭博等行為即幸不被人知悉亦耗費精神拋荒學業萬一被人發覺甚

毕业而后，得一官一职，亦可深知在下者之苦，而不致予智自雄。余五旬外之人也，服官一品，名满天下，然犹兢兢也，常自恐惧，不敢放恣。

汝随余久，当必亲炙之，勿自以为贵介子弟，而漫不经心，此则非余所望于尔也，汝其慎之。寒暖更宜自己留意，尤戒有狭邪赌博等行为，即幸不被人知悉，亦耗费精神，抛荒学业。万一被人发觉，甚

或為日本官吏拘捕則余之面目將何所在汝固不足惜而余則何如更宜力除至囑至囑

余身體甚佳家中大小亦均平安不必繫念汝盡心求學勿妄外騖汝苟竿頭日上余亦心寬體胖矣

或为日本官吏拘捕，则余之面目，将何所在？汝固不足惜，而余则何如？更宜力除，至嘱，至嘱！

余身体甚佳，家中大小，亦均平安，不必系念。汝尽心求学，勿妄外骛。汝苟竿头日上，余亦心宽体胖矣。

（据《清代四名人家书》整理）

愛新覺羅奕譞家訓

奕譞（一八四〇—一八九一年），字朴庵，号九思堂主人，又号退潜主人。道光皇帝第七子，道光三十年（一八五〇年）封为醇郡王；同治十一年（一八七二年）晋封亲王；光绪十一年（一八八五年），清廷设置海军衙门，任命其总理节制沿海水师。

財也大產也大後來子孫禍也大若問此理是若何子孫錢多膽也大天樣大事都不怕不喪身家不肯罷財也小產也小後來子孫禍也小若問此理是若何子孫錢少膽也小些微產業知自保儉使儉用也過了

爱新觉罗·奕譞家训

财也大，产也大，后来子孙祸也大。若问此理是若何，子孙钱多胆也大。天样大事都不怕，不丧身家不肯罢。财也小，产也小，后来子孙祸也小。若问此理是若何，子孙钱少胆也小。些微产业知自保，俭使俭用也过了。

（选自《中国末代皇叔》）

嚴復家訓

严复（一八五三—一九二一年），原名宗光，后改名复，字又陵，又字几道，侯官（今福建福州）人。曾担任过京师大学堂译局总办、北洋水师学堂总教习等，翻译了《天演论》，创办了《国闻报》，是清末极具影响力的启蒙思想家、翻译家和教育家。

多見聞少議論

前得吾兒稟文三哥於昨夕回京悉兒在唐安穩極慰吾兒初次出門就學遠離親愛難免離索之苦吾與汝母親皆極關懷但以男兒生世弧矢四方早晚總

严复家训

多见闻，少议论

前得吾儿禀，又三哥于昨夕回京，悉儿在唐安稳，极慰。吾儿初次出门就学，远离亲爱，难免离索之苦，吾与汝母亲皆极关怀。但以男儿生世，弧矢四方，早晚总

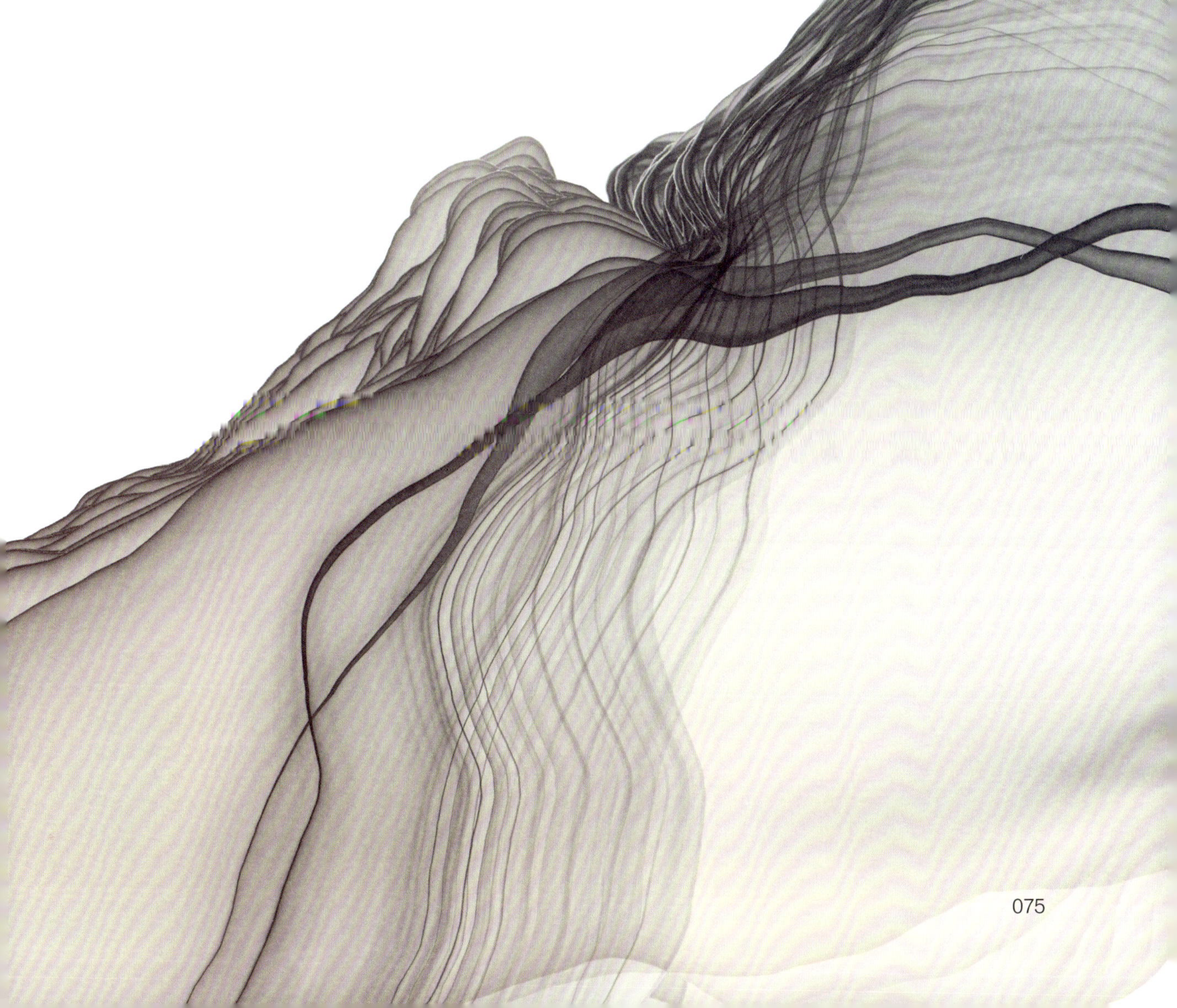

須離家入世故令兒就學唐山耳尚幸有鎣哥一家在彼而伯曜季熾兄弟又係世交熟人當不至如何索寞現開學伊始功課宜不甚殷暇時仍當料理舊學勿任拋荒閒看通鑑自屬甚佳但左傳尚未卒業仍應排日點誦即不能背只令遍數讀足亦可文字有不解處可就近請教伯曜或信問先生庶無半途廢業之歎校中師友均應和敬接待人前从

须离家入世，故令儿就学唐山耳。尚幸有鋈哥一家在彼，而伯曜、季炽兄弟又系世交熟人，当不至如何索寞。现开学伊始，功课宜不甚殷，暇时仍当料理旧学，勿任抛荒。闻看《通鉴》，自属甚佳；但《左传》尚未卒业，仍应排日点诵，即不能背，只令遍数读足亦可。文字有不解处，可就近请教伯曜或信问先生，庶无半途废业之叹。校中师友，均应和敬接待，人前以

多見聞默識而少發議論爲佳至臧否人
物尤宜謹慎又改名一節若校長執意不
肯可暫置之但告鋆哥於得便時仍須
做到又校長若問理由則告以因犯親族尊
長先諱之故名字原以表德定名改名
各從微尚無取特別充足理由又秋氣戒
寒早晚起居格外謹慎脫有小疾可告
鋆哥早些想法勿俟已成大病方求治
療又兒來信書字頗佳此後可以書帖

多见闻默识而少发议论为佳；至臧否人物，尤宜谨慎也。改名一节，若校长执意不肯，可暂置之，但告鋆哥于得便时仍须做到也。校长若问理由，则告以因犯亲族尊长先讳之故。名字原以表德，定名、改名，各从微尚，无取特别充足理由也。秋风戒寒，早晚起居，格外谨慎，脱有小疾，可告鋆哥早些想法，勿俟已成大病，方求治疗也。儿来信书字颇佳，此后可以书帖；

日作數紙可代體操家中兄弟合平安
二姊尚在津耳

經略濟時

諭瑢知悉前得兒書知在唐校用功勤
而有恆大慰大慰學問之道水到渠成但
不間斷時至自見雖英文未精不必著急
又所云暑假欲遊西湖一節雖不無小費
然吾意甚以為然大抵少年能從旅

日作数纸，可代体操。家中兄弟各平安，二姊尚在津耳。

经略济时

谕璿知悉：前得儿书，知在唐校用功，勤而有恒，大慰，大慰！学问之道，水到渠成，但不间断，时至自见。虽英文未精，不必着急也。所云暑假欲游西湖一节，虽不无小费，然吾意甚以为然。大抵少年能以旅行觀覽山水名勝爲樂乃極佳事因此中不但怡神遣日且能增進許多閱歷學問激發多少志氣更無論太史公文得江山之助者矣然欲興趣濃至須預備多種學識才好一是歷史學識如古人生長經由用兵形勢得失以及土地產物人情風俗之類有此則身遊其地有慨想憑弔之思亦有經略濟時之意與之俱起此遊之所以有益也其次則地學知

行观览山水名胜为乐，乃极佳事，因此中不但怡神遣日，且能增进许多阅历学问，激发多少志气，更无论太史公文得江山之助者矣。然欲兴趣浓至，须预备多种学识才好：一是历史学识，如古人生长经由，用兵形势得失，以及土地、产物、人情、风俗之类。有此，则身游其地，有慨想凭吊之思，亦有经略济时之意与之俱起， 此游之所以有益也。其次则地学知識此學則西人所謂Geology玩覽山川之人苟通此學則一水一石遇之皆能彰往察來並知地下所藏當為何物此正佛家所云大道通時雖牆壁瓦礫皆無上勝法真是妙不可言如此再益以攝影記載則旅行雅遊成一絕大事業多所發明此在少年人有志否耳汝在唐山路礦學校地學自所必講第不知所謂深淺而已

识，此学则西人所谓 Geology。玩览山川之人，苟通此学，则一水一石，遇之皆能彰往察来，并知地下所藏，当为何物。此正佛家所云：“大道通时，虽墙壁瓦砾，皆无上胜法。”真是妙不可言如此。再益以摄影记载，则旅行雅游，成一绝大事业，多所发明，此在少年人有志否耳。汝在唐山路矿学校，地学自所必讲，第不知所谓深浅而已。

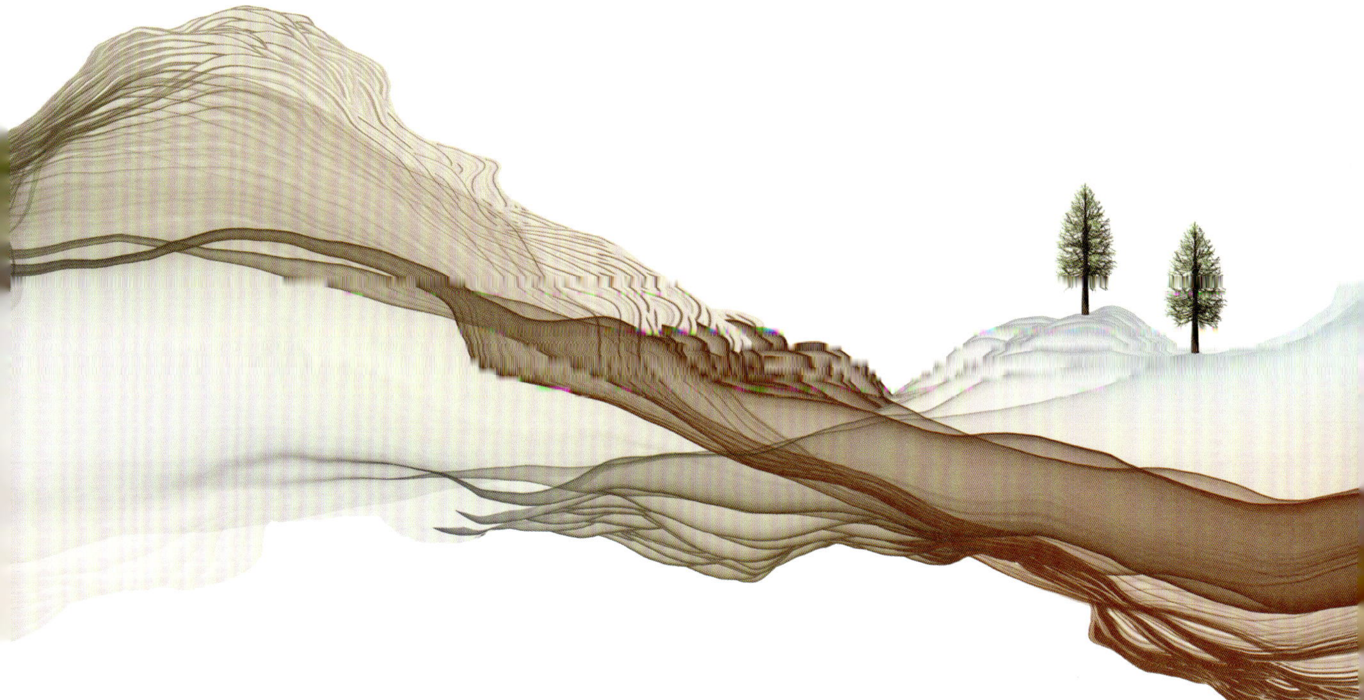

我到閩以後喘咳實未見大差打針服
藥不過如是然亦無如何加甚之處兒
可放心無慮現在滿盼春天吾一切自當
輕減又自民國六年以來經冬必大病
今歲但得稍可便為慶幸不敢奢望矣
二姊伴我在此一切尚佳目疾已九成愈
身體稍壯胖亦可喜又昨由郵局寄去
廈門肉乾一匣想此信前後當收到又

我到闽以后，喘咳实未见大差，打针服药，不过如是，然亦无如何加甚之处，儿可放心无虑。现在满盼春天，吾一切自当轻减也。自民国六年以来，经冬必大病，今岁但得稍可，便为庆幸，不敢奢望矣。二姊伴我在此，一切尚佳。目疾已九成愈，身体稍壮胖，亦可喜也。昨由邮局寄去厦门肉干一匣，想此信前后当收到也。

（选自《严复集》）

梁啟超家训

梁启超（一八七三—一九二九年），字卓如，一字任甫，号任公，又号饮冰室主人。新会（今属广东）人。中国近代思想家、政治家、教育家。十七岁中举。后师从康有为，成为资产阶级改良派的宣传家。其著作合编为《饮冰室合集》。

舍安樂而就憂患
書及禧東並收屋有售買主速沽為宜
第求不虧已足勿計贏又此著既辦冰
泮後即可盡室南來僦廡數椽蘧廬
送日即是居家真樂孟子言生於憂患

梁启超家训

舍安乐而就忧患

书及禧柬并收，屋有售买主速沽为宜，第求不亏已足，勿计赢也。此着既办，冰泮后即可尽室南来，赁庑数椽，齑盐送日，却是居家真乐。孟子言：“生于忧患，

死於安樂汝輩小小年紀恰值此數年來
無端度虛榮之歲月真是此生一險運吾
今舍安樂而就憂患非徒對於國家負
踐責任抑亦導汝曹脫險以吾家十數
代清白寒素此乃最足以自豪者安
而逐腥羶而喪吾所守耶此次義舉
雖成吾亦決不再仕宦使汝等常長育
于寒士之家庭即授汝等以自立之道以
吾近來心境之佳乃無倫比每日約以

死于安乐。”汝辈小小年纪，恰值此数年来无端度虚荣之岁月，真是此生一险运。吾今舍安乐而就忧患，非徒对于国家自践责任，抑亦导汝曹脱险也。吾家十数代清白寒素，此乃最足以自豪者，安而逐腥膻而丧吾所守耶？此次义举虽成，吾亦决不再仕宦，使汝等常长育于寒士之家庭，即授汝等以自立之道也。吾近来心境之佳，乃无伦比，每日约以

三四時見客治事，以三四時著述，餘晷則以學書，近專臨帖，不復摹矣。終日孜孜而無勞倦，斯亦憂患之賜也。

民國五年二月八日

磨練人格

我看見你近日來的信很欣慰，你們縮小生活程度，暫在坎挨一兩年是最好的。你和希哲都是寒士家風出身，總不

三四时见客治事，以三四时著述，余暑则以学书。近专临帖不复摹矣。终日孜孜，而无劳倦，斯亦忧患之赐也。

民国五年二月八日

磨练人格

我看见你近日来的信，很欣慰。你们缩小生活程度，暂在坎挨一两年，是最好的。你和希哲都是寒士家风出身，总不

要懷自己家門本色才能給孩子們以磨練人格的機會生當亂世要吃得苦才能站得住其實何止亂世為然一個人在物質上的享用只要能維持著生命便夠了至於快樂與否全不是物質上可以支配能在困苦中求快活才真是會打算盤哩何況你們並不算窮苦呢拿你們兩個人比你們的父母已經舒服多少倍了以後困苦日子也許要比現

要坏自己家门本色，才能给孩子们以磨练人格的机会。生当乱世，要吃得苦，才能站得住。其实何止乱世为然。一个人在物质上的享用，只要能维持着生命便够了。至于快乐与否，全不是物质上可以支配。能在困苦中求快活，才真是会打算盘哩。何况你们并不算穷苦呢！拿你们两个人比你们的父母，已经舒服多少倍了，以后困苦日子，也许要比现

在加多少倍拿現在當做一種學校慢慢
磨練自己真是再好不過的事你們該
感謝上帝
你好幾封信提小六還債事我都沒有
答覆我想你們這筆債權只好算拉倒
罷小六現在上海是靠向朋友借一塊
兩塊錢過日子他不肯回京即回京也
沒有法好想他因為家庭不好興致索然
我怕這個人就此完了除了他家庭特別

在加多少倍，拿现在当做一种学校，慢慢磨练自己，真是再好不过的事，你们该感谢上帝。

你好几封信提小六还债事，我都没有答复。我想你们这笔债权只好算拉倒罢。小六现在上海，是靠向朋友借一块两块钱过日子，他不肯回京，即回京也没有法好想，他因为家庭不好，兴致索然，我怕这个人就此完了。除了他家庭特别

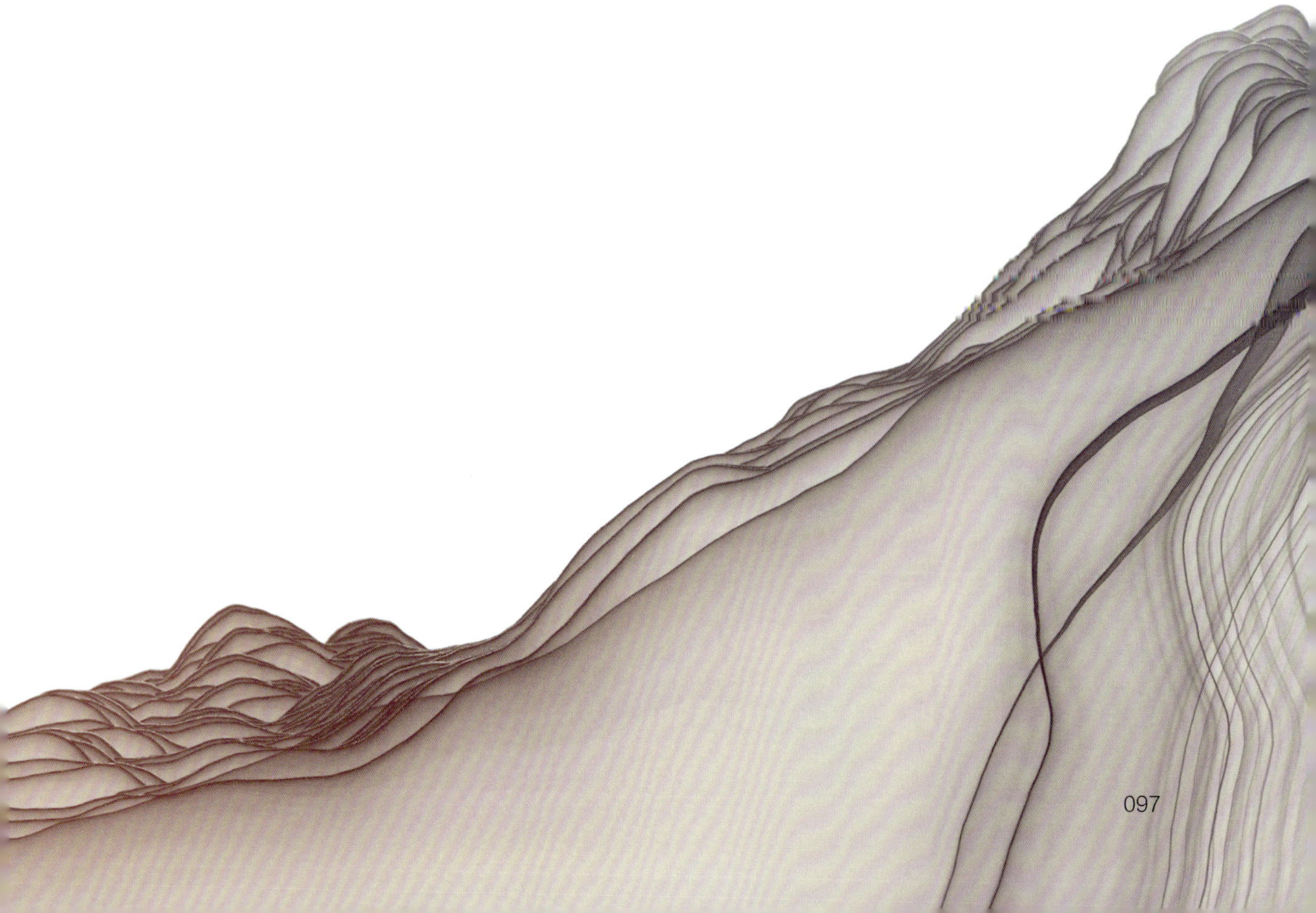

關係以外又是因中國政治太壞政客的末路應該如此古人說擇術不可不慎真是不錯但亦由於自己修養功夫太淺所以立不住腳假使我雖處他這種環境又斷不致像他樣子他還沒有學下流到底還算可愛只是萬分可憐罷了我們家幾個大孩子大概都可以放心你和思永大概絕無問題了思成呢我就怕因為徽音的境遇不好把他牽動憂傷憔

关系以外，也是因中国政治太坏，政客的末路应该如此。古人说：“择术不可不慎。”真是不错。但亦由于自己修养功夫太浅，所以立不住脚，假使我虽处他这种环境，也断不致像他样子。他还没有学下流，到底还算可爱，只是万分可怜罢了。我们家几个大孩子大概都可以放心，你和思永大概绝无问题了。思成呢？我就怕因为徽音的境遇不好，把他牵动，忧伤憔

悴是容易消磨人志氣的最怕是慢慢地磨即如目前因學費艱難也足以磨人但這是一時的現象還不要緊怕將來爲日方長我所憂慮者還不在物質上全在精神上我到底不深知徽音胸襟如何若胸襟窄狹的人一定抵擋不住憂傷憔悴影響到思成便把我的思成毀了你看不致如此吧關於這一點你要常常幫助著思成注意預防總要常常保

悴是容易消磨人志气的。最怕是慢慢地磨。即如目前因学费艰难，也足以磨人，但这是一时的现象，还不要紧，怕将来为日方长。我所忧虑者还不在物质上，全在精神上。我到底不深知徽音胸襟如何，若胸襟窄狭的人，一定抵挡不住忧伤憔悴，影响到思成，便把我的思成毁了。你看不致如此吧！关于这一点，你要常常帮助着思成注意预防。总要常常保

持著元氣淋漓的氣象才有前途事業之可言

思忠呢最為活潑但太年輕血氣未定以現在情形而論大概不會學下流我們家孩子斷不致下流大概總可放心只怕進銳退速受不起打擊他所擇的術政治軍事又最含危險性在中國現在社會做這種職務很容易墮落即如他這次想回國雖是一種極有志氣的

持着元气淋漓的气象，才有前途事业之可言。

思忠呢，最为活泼，但太年轻，血气未定，以现在情形而论，大概不会学下流，我们家孩子断不致下流，大概总可放心。只怕进锐迟速，受不起打击。他所择的术政治军事，又最含危险性，在中国现在社会做这种职务很容易堕落。即如他这次想回国，虽是一种极有志气的

舉動我也很誇獎他但是發動得太孟浪了這種過度的熱度遇着冷水澆過來就會抵不住從前許多青年的墮落都是如此我對於這種志氣不願高壓所以只把事業上的利害慢慢和他解釋不知他聽了如何這種教育方法很是困難一面不可以打斷他的勇氣一面又不可以聽他走錯了路走錯了本來沒有甚麼要緊聰明的人會回

举动，我也很夸奖他，但是发动得太孟浪了。这种过度的热度，遇着冷水浇过来，就会抵不住。从前许多青年的堕落，都是如此。我对于这种志气，不愿高压，所以只把事业上的利害慢慢和他解释，不知他听了如何？这种教育方法，很是困难，一面不可以打断他的勇气，一面又不可以听他走错了路，走错了本来没有甚么要紧，聪明的人会回

頭另走但修養功夫未夠又許便因挫
折而墮落所以我對於他還有好幾年
未得放心你要就近常察看情形幫着
我指導他
今日沒有功課心境清閒得很隨便和你
談談家常很是快活要睡覺了改天再談罷
民國十六年五月十三日

头另走，但修养功夫未够，也许便因挫折而堕落。所以我对于他还有好几年未得放心，你要就近常察看情形，帮着我指导他。

今日没有功课，心境清闲得很，随便和你谈谈家常，很是快活。要睡觉了，改天再谈罢。

民国十六年五月十三日

婚姻之事豈可兒戲我昨天做了一件極不願意做之事去替徐志摩證婚他的新婦是王受慶夫人與志摩戀愛上才和受慶離婚實在是不道德至極我屢次告誡志摩而無效胡適之張彭春苦苦爲他說情到底以姑息志摩之故卒徇其請我在禮堂演說一篇訓詞大大教訓一番新人及滿堂賓客無一不失色此恐是中外古今所

婚姻之事岂可儿戏

我昨天做了一件极不愿意做之事，去替徐志摩证婚。他的新妇是王受庆夫人，与志摩恋爱上，才和受庆离婚，实在是不道德至极。我屡次告诫志摩而无效。胡适之、张彭春苦苦为他说情，到底以姑息志摩之故，卒徇其请。我在礼堂演说一篇训词，大大教训一番，新人及满堂宾客无一不失色，此恐是中外古今所未聞之婚禮矣今把訓詞稿子寄給你們一看青年為感情衝動不能節制任意決破禮防的羅網其實乃是自投苦惱的羅網真是可痛真是可憐徐志摩這個人其實聰明我愛他不過此次看著他陷於滅頂還想救他出來我也有一番苦心老朋友們對於他這番舉動無不深惡痛絕我想他若從此見擯於社會固然自作自受無可怨恨但覺得這

未闻之婚礼矣。今把训词稿子寄给你们一看。青年为感情冲动，不能节制，任意决破礼防的罗网，其实乃是自投苦恼的罗网，真是可痛，真是可怜！徐志摩这个人其实聪明，我爱他不过，此次看着他陷于灭顶，还想救他出来，我也有一番苦心。老朋友们对于他这番举动无不深恶痛绝，我想他若从此见摈于社会，固然自作自受，无可怨恨，但觉得这

個人太可惜了或者竟弄到自殺我又看着他找得這樣一個人做伴侶怕他將來苦痛更無限所以想對於那個人當頭一棒盼望他能有覺悟但恐甚難免得將來把志摩累死但恐不過是我極癡的婆心便了聞張歆海近來也很墮落日〻只想做官志摩卻是很高潔只是發了戀愛狂變態心理變態心理的犯罪此外還有許多招物議之處我也不願多

个人太可惜了，或者竟弄到自杀。我又看着他找得这样一个人做伴侣，怕他将来苦痛更无限，所以想对于那个人当头一棒，盼望他能有觉悟。但恐甚难。免得将来把志摩累死，但恐不过是我极痴的婆心便了。闻张歆海近来也很堕落，日日只想做官，志摩却是很高洁，只是发了恋爱狂——变态心理——变态心理的犯罪。此外还有许多招物议之处，我也不愿多

講了品性上不曾經過嚴格的訓練真是可怕我把昨日的感觸專寫這一封信給思成徽音思忠們看看

民國十五年十月四日

讲了。品性上不曾经过严格的训练，真是可怕，我把昨日的感触，专写这一封信给思成、徽音、思忠们看看。

民国十五年十月四日

（选自《梁启超家书》）

附录

李隆基孝經序

李隆基（六八五—七六二年），即唐玄宗，唐睿宗李旦第三子，先天元年（七一二年）登基称帝。前期励精图治，史称『开元之治』。晚年耽于逸乐，重用李林甫、杨国忠，吏治腐败，导致『安史之乱』，唐朝由盛而衰。天宝十五载（七五六年），诸将拥立太子李亨为帝，奉其为太上皇。

朕聞上古其風朴略雖因心之孝已萌而資敬之禮猶簡及乎仁義既有親譽益著聖人知孝之可以教人也故因嚴以教敬因親以教愛於是以順移忠之道昭矣立身揚名之義彰矣子曰吾志

李隆基《孝经·序》

朕闻上古其风朴略，虽因心之孝已萌，而资敬之礼犹简。及乎仁义既有，亲誉益著。圣人知孝之可以教人也，故因严以教敬，因亲以教爱。于是以顺移忠之道昭矣，立身扬名之义彰矣。子曰：“吾志在春秋行在孝經是知孝者德之本歟經曰昔者明王之以孝理天下也不敢遺小國之臣而況于公侯伯子男乎朕嘗三複斯言景行先哲雖無德教加于百姓庶幾廣愛刑于四海嗟乎夫子沒而微言絕異端起而大義乖況泯絕于秦得之者皆煨燼之末濫觴於漢傳之者皆糟粕之餘故魯史春秋學開五傳國風雅頌分為四詩去聖逾遠源流益別

在《春秋》，行在《孝经》。”是知孝者，德之本欤！

《经》曰：“昔者明王之以孝理天下也，不敢遗小国之臣，而况于公、侯、伯、子、男乎？”朕尝三复斯言，景行先哲，虽无德教加于百姓，庶几广爱刑于四海。嗟乎，夫子没而微言绝，异端起而大义乖。况泯绝于秦，得之者皆煨烬之末；滥觞于汉，传之者皆糟粕之余。故鲁史《春秋》，学开五传；《国风》《雅》《颂》，分为四诗。去圣逾远，源流益别。

近觀孝經舊注踳駁尤甚至於跡相祖述殆且百家業擅專門猶將十室希升堂者必自開戶牖攀逸駕者必騁殊軌轍是以道隱小成言隱浮偽且傳以通經為義義以必當為主至當歸一精義無二安得不翦其繁蕪而撮其樞要也

韋昭王肅先儒之領袖虞翻劉邵抑又次焉劉炫明安國之本陸澄譏康成之注在理或當何必求人今故特舉六家

近观《孝经》旧注，踳驳尤甚。至于迹相祖述，殆且百家。业擅专门，犹将十室。希升堂者，必自开户牖；攀逸驾者，必骋殊轨辙。是以道隐小成，言隐浮伪。且传以通经为义，义以必当为主。至当归一，精义无二，安得不翦其繁芜，而撮其枢要也。

韦昭、王肃，先儒之领袖。虞翻、刘邵，抑又次焉。刘炫明安国之本，陆澄讥康成之注。在理或当，何必求人？今故特举六家

之異同會五經之旨趣約文敷暢義則
昭然分注錯經理亦條貫寫之琬琰庶
有補於將來

且夫子談經志取垂訓雖五孝之用則別
而百行之源不殊是以一章之中凡有數
句一句之內意有兼明具載則文繁略之
又義闕今存於疏用廣發揮

之异同，会五经之旨趣；约文敷畅，义则昭然；分注错经，理亦条贯。写之琬琰，庶有补于将来。

且夫子谈经，志取垂训，虽五孝之用则别，而百行之源不殊。是以一章之中，凡有数句；一句之内，意有兼明；具载则文繁，略之又义阙。今存于疏，用广发挥。

孝經

《孝经》是儒家经典之一，藏于孔子故居墙壁中，汉武帝时鲁恭王扩建宫室，坏孔子宅，始被发现。主要有今文《孝经》和古文《孝经》两种。《孝经》一书记载孔子关于孝道的言论，相传是曾参所作。

開宗明義章第一

仲尼居曾子侍子曰先王有至德要道以順天下民用和睦上下無怨汝知之乎曾子避席曰參不敏何足以知之子曰夫孝德之本也教之所由生也復坐吾語汝

《孝经》

开宗明义章第一

仲尼居，曾子侍。子曰：“先王有至德要道，以顺天下，民用和睦，上下无怨。汝知之乎？”曾子避席曰：“参不敏，何足以知之？”子曰：“夫孝，德之本也，教之所由生也。复坐，吾语汝。”

身體髮膚受之父母不敢毀傷孝之始也立身行道揚名於後世以顯父母孝之終也夫孝始於事親中於事君終於立身大雅云無念爾祖聿修厥德

天子章第二

子曰愛親者不敢惡於人敬親者不敢慢於人愛敬盡於事親而德教加於百姓

“身体发肤，受之父母，不敢毁伤，孝之始也。立身行道，扬名于后世，以显父母，孝之终也。夫孝，始于事亲，中于事君，终于立身。《大雅》云：‘无念尔祖，聿修厥德。’”

天子章第二

子曰：“爱亲者，不敢恶于人；敬亲者，不敢慢于人。爱敬尽于事亲，而德教加于百姓，

刑于四海蓋天子之孝也甫刑云一人有慶兆民賴之

諸侯章第三

在上不驕高而不危制節謹度滿而不溢高而不危所以長守貴也滿而不溢所以長守富也富貴不離其身然後能保其社稷而和其民人蓋諸侯之孝也詩云戰戰兢兢如臨深淵如履薄冰

刑于四海。盖天子之孝也。《甫刑》云：‘一人有庆，兆民赖之。’”

诸侯章第三

在上不骄，高而不危；制节谨度，满而不溢。高而不危，所以长守贵也。满而不溢，所以长守富也。富贵不离其身，然后能保其社稷，而和其民人。盖诸侯之孝也。《诗》云：“战战兢兢，如临深渊，如履薄冰。”

卿大夫章第四
非先王之法服不敢服非先王之法言不
敢道非先王之德行不敢行是故非法
不言非道不行口無擇言身無擇行言
滿天下無口過行滿天下無怨惡三者備
矣然後能守其宗廟蓋卿大夫之孝
也詩云夙夜匪懈以事一人

卿大夫章第四

非先王之法服不敢服，非先王之法言不敢道，非先王之德行不敢行。是故非法不言，非道不行；口无择言，身无择行；言满天下无口过，行满天下无怨恶；三者备矣，然后能守其宗庙。盖卿、大夫之孝也。《诗》云："夙夜匪懈，以事一人。"

士章第五

資于事父以事母而愛同資于事父以
事君而敬同故母取其愛而君取其敬
兼之者父也故以孝事君則忠以敬事
長則順忠順不失以事其上然後能保
其祿位而守其祭祀蓋士之孝也詩云夙
興夜寐無忝爾所生

士章第五

资于事父以事母，而爱同；资于事父以事君，而敬同。故母取其爱，而君取其敬，兼之者父也。故以孝事君则忠，以敬事长则顺。忠顺不失，以事其上，然后能保其禄位，而守其祭祀。盖士之孝也。《诗》云：“夙兴夜寐，无忝尔所生。”

庶人章第六

用天之道分地之利謹身節用以養父
母此庶人之孝也故自天子至於庶人
孝無終始而患不及者未之有也

三才章第七

曾子曰甚哉孝之大也
子曰夫孝天之經也地之義也民之行
也天地之經而民是則之則天之明因

庶人章第六

用天之道，分地之利，谨身节用，以养父母，此庶人之孝也。故自天子至于庶人，孝无终始，而患不及者，未之有也。

三才章第七

曾子曰："甚哉，孝之大也！"

子曰："夫孝，天之经也，地之义也，民之行也。天地之经，而民是则之。则天之明，因地之利以順天下是以其教不肅而成其政不嚴而治先王見教之可以化民也是故先之以博愛而民莫遺其親陳之於德義而民興行先之以敬讓而民不爭導之以禮樂而民和睦示之以好惡而民知禁詩云赫赫師尹民具爾瞻

孝治章第八

子曰昔者明王之以孝治天下也不敢遺

地之利，以顺天下。是以其教不肃而成，其政不严而治。先王见教之可以化民也，是故先之以博爱，而民莫遗其亲；陈之于德义，而民兴行；先之以敬让，而民不争；导之以礼乐，而民和睦；示之以好恶，而民知禁。《诗》云：‘赫赫师尹，民具尔瞻。’”

孝治章第八

子曰：“昔者明王之以孝治天下也，不敢遗

小國之臣而況于公侯伯子男乎故得萬
民之歡心以事其先王治國者不敢侮
於鰥寡而況於士民乎故得百姓之歡
心以事其先君治家者不敢失於臣妾
而況於妻子乎故得人之歡心以事其
親夫然故生則親安之祭則鬼享之是
以天下和平災害不生禍亂不作故明
王之以孝治天下也如此詩云有覺德行
四國順之

小国之臣，而况于公、侯、伯、子、男乎？故得万民之欢心，以事其先王。治国者，不敢侮于鳏寡，而况于士民乎？故得百姓之欢心，以事其先君。治家者，不敢失于臣妾，而况于妻子乎？故得人之欢心，以事其亲。夫然，故生则亲安之，祭则鬼享之。是以天下和平，灾害不生，祸乱不作。故明王之以孝治天下也如此。《诗》云：'有觉德行，四国顺之。'"

聖治章第九

曾子曰敢問聖人之德無以加於孝乎
子曰天地之性人為貴人之行莫大於孝
孝莫大於嚴父嚴父莫大於配天則周
公其人也昔者周公郊祀后稷以配天
宗祀文王於明堂以配上帝是以四海
之內各以其職來祭夫聖人之德又何
以加於孝乎故親生之膝下以養父母
日嚴聖人因嚴以教敬因親以教愛聖

圣治章第九

曾子曰：“敢问圣人之德，无以加于孝乎？”

子曰：“天地之性，人为贵。人之行，莫大于孝。孝莫大于严父。严父莫大于配天，则周公其人也。昔者，周公郊祀后稷以配天，宗祀文王于明堂，以配上帝。是以四海之内，各以其职来祭。夫圣人之德，又何以加于孝乎？故亲生之膝下，以养父母日严。圣人因严以教敬，因亲以教爱。圣

人之教不肅而成其政不嚴而治其所因
者本也父子之道天性也君臣之義也父
母生之續莫大焉君親臨之厚莫重
焉故不愛其親而愛他人者謂之悖德
不敬其親而敬他人者謂之悖禮以順
則逆民無則焉不在於善而皆在於凶德
雖得之君子不貴也君子則不然言思可
道行思可樂德義可尊作事可法容止
可觀進退可度以臨其民是以其民畏

人之教，不肃而成，其政不严而治，其所因者本也。父子之道，天性也，君臣之义也。父母生之，续莫大焉。君亲临之，厚莫重焉。故不爱其亲而爱他人者，谓之悖德；不敬其亲而敬他人者，谓之悖礼。以顺则逆，民无则焉。不在于善，而皆在于凶德，虽得之，君子不贵也。君子则不然，言思可道，行思可乐，德义可尊，作事可法，容止可观，进退可度，以临其民。是以其民畏

而愛之則而象之故能成其德教而行其政令詩云淑人君子其儀不忒

紀孝行章第十

子曰孝子之事親也居則致其敬養則致其樂病則致其憂喪則致其哀祭則致其嚴五者備矣然後能事親事親者居上不驕為下不亂在醜不爭居上而驕則亡為下而亂則刑在醜而爭則兵

而爱之，则而象之。故能成其德教，而行其政令。《诗》云：‘淑人君子，其仪不忒。’”

纪孝行章第十

子曰：“孝子之事亲也，居则致其敬，养则致其乐，病则致其忧，丧则致其哀，祭则致其严。五者备矣，然后能事亲。事亲者，居上不骄，为下不乱，在丑不争。居上而骄则亡，为下而乱则刑，在丑而争则兵。

三者不除雖日用三牲之養猶爲不孝也

五刑章第十一

子曰五刑之屬三千而罪莫大於不孝要君者無上非聖人者無法非孝者無親此大亂之道也

廣要道章第十二

子曰教民親愛莫善於孝教民禮順

三者不除，虽日用三牲之养，犹为不孝也。”

五刑章第十一

子曰：“五刑之属三千，而罪莫大于不孝。要君者无上，非圣人者无法，非孝者无亲。此大乱之道也。”

广要道章第十二

子曰：“教民亲爱，莫善于孝。教民礼顺，

莫善於悌移風易俗莫善於樂安上治民莫善於禮禮者敬而已矣故敬其父則子悅敬其兄則弟悅敬其君則臣悅敬一人而千萬人悅所敬者寡而悅者衆此之謂要道也

廣至德章第十三

子曰君子之教以孝也非家至而日見之也教以孝所以敬天下之為人父者也教

莫善于悌。移风易俗，莫善于乐。安上治民，莫善于礼。礼者，敬而已矣。故敬其父，则子悦；敬其兄，则弟悦；敬其君，则臣悦；敬一人，而千万人悦。所敬者寡，而悦者众，此之谓要道也。”

广至德章第十三

子曰：“君子之教以孝也，非家至而日见之也。教以孝，所以敬天下之为人父者也。教

以悌所以敬天下之為人兄者也教以臣所以敬天下之為人君者也詩云愷悌君子民之父母非至德其孰能順民如此其大者乎

廣揚名章第十四

子曰君子之事親孝故忠可移於君事兄悌故順可移於長居家理故治可移於官是以行成於內而名立於後世矣

以悌，所以敬天下之为人兄者也。教以臣，所以敬天下之为人君者也。《诗》云：‘恺悌君子，民之父母。’非至德，其孰能顺民如此其大者乎！”

广扬名章第十四

子曰：“君子之事亲孝，故忠可移于君。事兄悌，故顺可移于长。居家理，故治可移于官。是以行成于内，而名立于后世矣。”

諫諍章第十五

曾子曰若夫慈愛恭敬安親揚名則聞命矣敢問子從父之令可謂孝乎子曰是何言與是何言與昔者天子有爭臣七人雖無道不失其天下諸侯有爭臣五人雖無道不失其國大夫有爭臣三人雖無道不失其家士有爭友則身不離於令名父有爭子則身不陷於不義故當不義則子不可以不爭於父臣不可以不

谏诤章第十五

曾子曰："若夫慈爱恭敬，安亲扬名，则闻命矣。敢问子从父之令，可谓孝乎？"

子曰："是何言与，是何言与！昔者天子有争臣七人，虽无道，不失其天下；诸侯有争臣五人，虽无道，不失其国；大夫有争臣三人，虽无道，不失其家；士有争友，则身不离于令名；父有争子，则身不陷于不义。故当不义，则子不可以不争于父，臣不可以不

爭於君故當不義則爭之從父之令又
焉得為孝乎

感應章第十六

子曰昔者明王事父孝故事天明事母
孝故事地察長幼順故上下治天地明
察神明彰矣故雖天子必有尊也言
有父也必有先也言有兄也宗廟致敬
不忘親也修身慎行恐辱先也宗廟致

争于君；故当不义，则争之。从父之令，又焉得为孝乎！”

感应章第十六

子曰：“昔者明王事父孝，故事天明；事母孝，故事地察；长幼顺，故上下治。天地明察，神明彰矣。故虽天子，必有尊也，言有父也；必有先也，言有兄也。宗庙致敬，不忘亲也；修身慎行，恐辱先也。宗庙致

敬鬼神着矣孝悌之至通於神明光於四海無所不通詩云自西自東自南自北無思不服

事君章第十七

子曰君子之事上也進思盡忠退思補過將順其美匡救其惡故上下能相親也詩云心乎愛矣遐不謂矣中心藏之何日忘之

敬，鬼神著矣。孝悌之至，通于神明，光于四海，无所不通。《诗》云：‘自西自东，自南自北，无思不服。’”

事君章第十七

子曰：“君子之事上也，进思尽忠，退思补过，将顺其美，匡救其恶，故上下能相亲也。《诗》云：‘心乎爱矣，遐不谓矣。中心藏之，何日忘之。’”

喪親章第十八

子曰孝子之喪親也哭不偯禮無容言不文服美不安聞樂不樂食旨不甘此哀戚之情也三日而食教民無以死傷生毀不滅性此聖人之政也喪不過三年示民有終也為之棺槨衣衾而舉之陳其簠簋而哀戚之擗踴哭泣哀以送之卜其宅兆而安措之為之宗廟以鬼享之春秋祭祀以時思之生事愛敬死事哀戚

丧亲章第十八

子曰："孝子之丧亲也，哭不偯，礼无容，言不文，服美不安，闻乐不乐，食旨不甘，此哀戚之情也。三日而食，教民无以死伤生。毁不灭性，此圣人之政也。丧不过三年，示民有终也。为之棺椁衣衾而举之，陈其簠簋而哀戚之；擗踊哭泣，哀以送之；卜其宅兆，而安措之；为之宗庙，以鬼享之；春秋祭祀，以时思之。生事爱敬，死事哀戚，

生民之本盡矣死生之義備矣孝子之
事親終矣

生民之本尽矣，死生之义备矣，孝子之事亲终矣。”